PUBLIC LIBRARY
DISTRICT OF COLUMBIA

La duda Pia Valentinis

LIBROS DEL ZORRO ROJO

Siempre tengo tantas dudas...

¿Qué me pondré hoy?

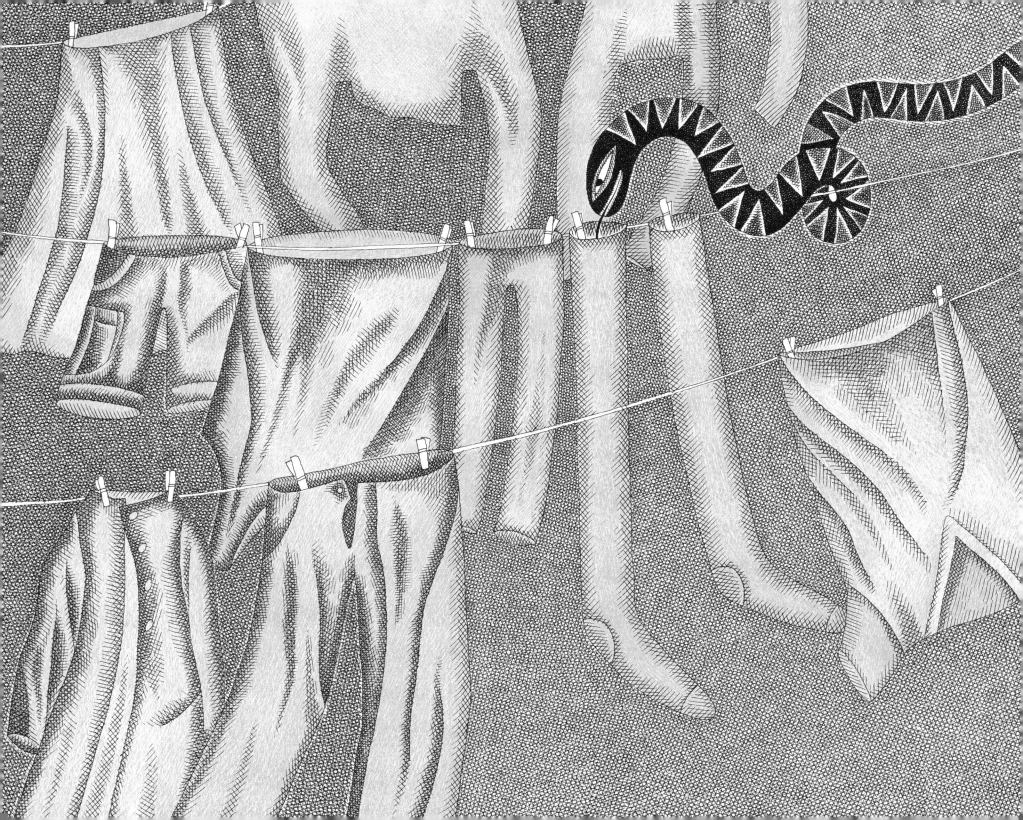

¿Seré tan lindo como dicen?

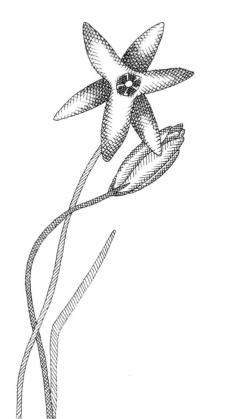

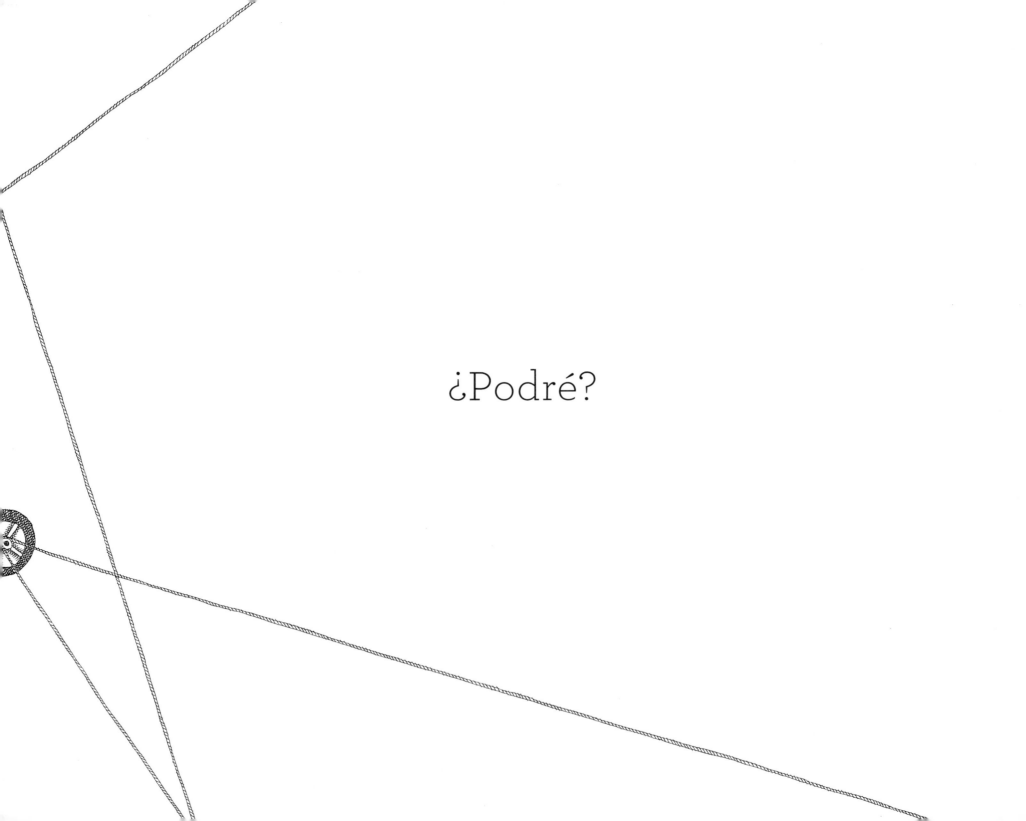

¿Podré?

¿Me atreveré?

¿Cuánto tendré que esperar?

¿Qué seré de mayor?

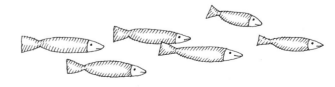

¿Me habrá visto?

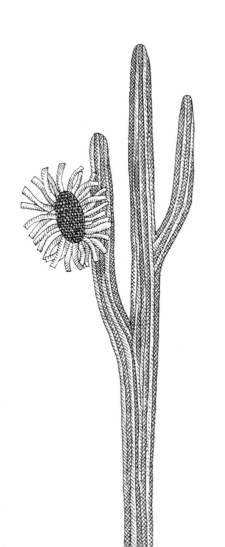

¿Le gustará?

¿Serán mis padres?

¿Lo habré hecho bien?

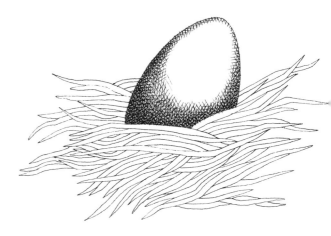

¿Qué camino deberé elegir?

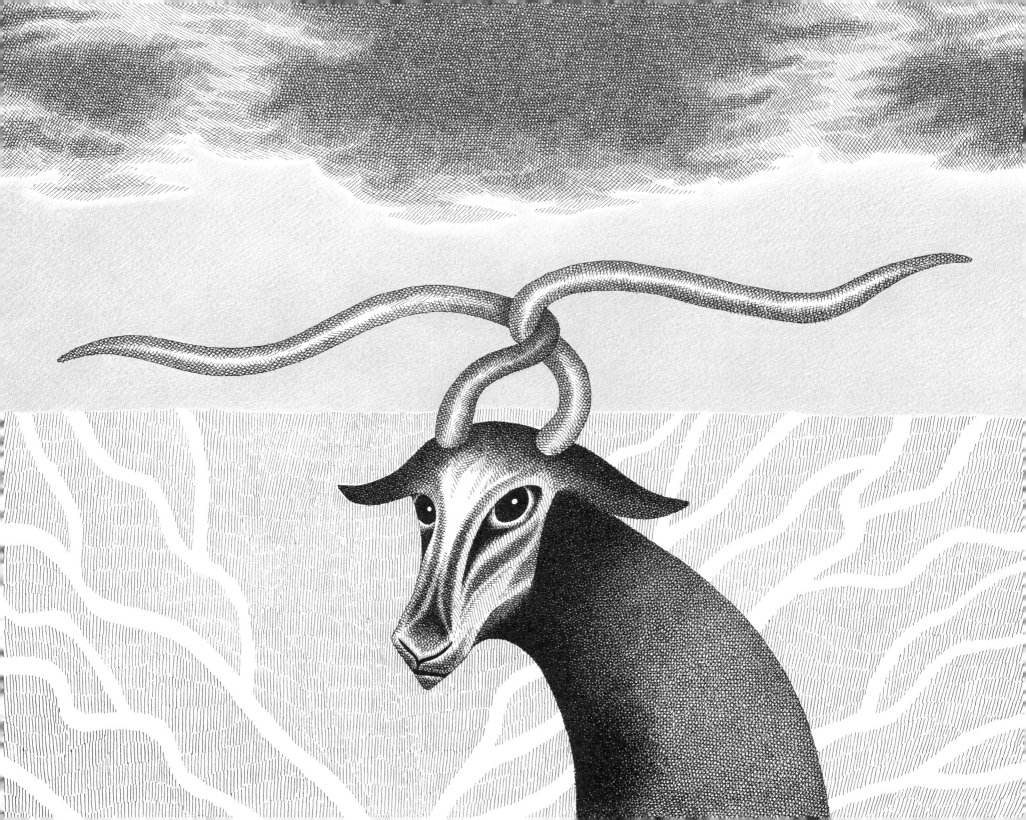

Siempre tengo tantas dudas...

¿Tú no?

Título original: *Dubbi*

© 2010, Pia Valentinis
© 2010, de esta edición: Libros del Zorro Rojo
Barcelona – Madrid
www.librosdelzorrorojo.com

Traducción:
Valentina Colombo

Edición:
Carolina Lesa Brown

Primera edición: abril de 2010

ISBN: 978-84-92412-53-2   Depósito legal: B-5977-2010

Impreso en Barcelona
por Gráficas'94

No se permite la reproducción total o parcial
de este libro, ni su transmisión en cualquier forma o
por cualquier medio, sin el permiso previo y
por escrito de los titulares del copyright.
La infracción de los derechos mencionados puede
ser constitutiva de delito contra la propiedad
intelectual (Arts. 270 y siguientes del
Código Penal).

*

SEP 1 0 REC'D